L'imagerie du Fantastique

Conception :
Émilie Beaumont
Nathalie Bélineau

Textes :
Émilie Beaumont
Emmanuelle Lepetit

Images :
Colette David
M. I. A. - Isabella Misso
Isabelle Rognoni
Sophie Toussaint

GROUPE FLEURUS, 15-27, rue Moussorgski, 75018 PARIS
www.editionsfleurus.com

PERSONNAGES FANTASTIQUES

L'UNIVERS DU FANTASTIQUE

Attention, à partir de cette page, tu vas entrer dans le monde féerique et magique du fantastique et découvrir des personnages extraordinaires !

Tu vas connaître aussi d'autres personnages

Cherche dans cette double page un dragon tout mignon, un vampire aux dents pointues, une sorcière sur son balai, un fantôme sous son drap blanc. Et la petite fée, qu'a-t-elle fait apparaître ?

fantastiques, comme Hercule et Ulysse.

À QUOI RECONNAIT-ON UN MAGICIEN ?

C'est un vieil homme. Quel âge a-t-il ? On ne le sait pas ! Il porte une longue barbe blanche et de petites lunettes sur le bout de son nez.

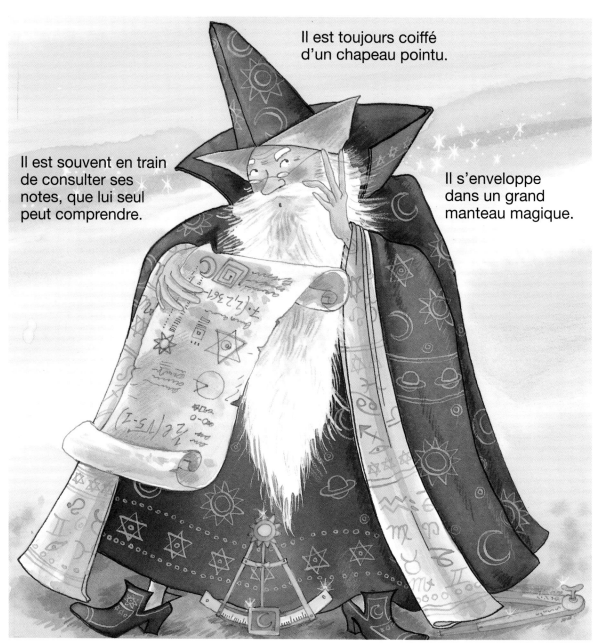

Il est toujours coiffé d'un chapeau pointu.

Il est souvent en train de consulter ses notes, que lui seul peut comprendre.

Il s'enveloppe dans un grand manteau magique.

C'est un personnage très respecté pour sa grande sagesse, et parfois redouté pour tout le savoir qu'il a acquis durant sa longue vie.

QUE FAIT LE MAGICIEN ?

Le magicien fait des tours de magie, il étudie les astres et lit dans les boules de cristal pour prévoir l'avenir.

Il travaille beaucoup. La nuit, il scrute les étoiles et vérifie leur position. Le jour, il note ce qu'il a vu dans son grimoire qu'il enferme dans son coffre magique, à l'abri des regards, et il prépare ses tours de magie.

DES ACTIVITÉS DE MAGICIEN

Autrefois, beaucoup de rois avaient leur magicien, qu'ils consultaient avant de prendre de grandes décisions.

Un magicien prépare des potions destinées à guérir ou à retrouver la jeunesse. Elles sont souvent efficaces, mais il y a parfois des surprises !

Dans sa boule de cristal, le magicien est capable de voir si les récoltes vont être bonnes ou si un ennemi menace d'envahir le royaume.

LA VIE DE MERLIN

Le plus célèbre des magiciens, c'est Merlin. Il vécut il y a longtemps auprès d'un roi et tomba amoureux d'une très jolie fée.

Merlin était le fils d'une belle princesse et d'un démon. Tout jeune, il s'enfermait dans sa chambre pour faire des tours de magie.

Il éleva le futur roi Arthur, l'aida à récupérer une épée magique enfouie dans un rocher, et combattit de redoutables dragons. Un jour, il rencontra la fée Viviane.

MERLIN ET LA FÉE VIVIANE

Viviane était une belle fée. Elle ensorcela Merlin, qui quitta le monde des hommes pour la suivre au cœur d'une forêt profonde.

Viviane habitait un magnifique château de verre au fond d'un étang. C'est là qu'elle entraîna Merlin pour lui dérober ses pouvoirs magiques.

Viviane voulait garder Merlin pour elle seule et, quand il devint trop vieux, elle le transforma en buisson avec l'aide des petites fées de la forêt.

À QUOI RECONNAIT-ON UNE SORCIÈRE ?

En général, c'est une vieille femme au visage très laid. Mais méfiance !
Elle ne se montre sous son vrai visage que lorsqu'elle est en confiance.

Chapeau pointu

Cheveux crépus

Nez crochu

Menton en galoche

Balai magique

Ongles fourchus

Mitaines

Robe déchirée ou rapiécée

Une sorcière sait se transformer en princesse ou en chat noir pour qu'on ne la reconnaisse pas. Elle se déplace sur un balai qu'elle seule sait faire voler.

QUE FAIT UNE SORCIÈRE ?

La spécialité d'une sorcière, c'est de jeter des mauvais sorts qu'elle prépare en cachette au fond de son laboratoire.

La sorcière invente aussi des potions diaboliques qu'elle teste sur d'horribles créatures. Reconnais-tu les animaux qui sont déjà dans le chaudron ?

LES ACTIVITÉS DE LA SORCIÈRE

Abracadabra ! Abracadabra ! Avant de jeter leurs sorts, toutes les sorcières du monde prononcent ces deux mots magiques.

La sorcière n'hésite pas à transformer une belle princesse en laideron ou à vendre en cachette de violents poisons.

Grâce à sa boule de cristal, elle aide les pirates à trouver des trésors. Pour s'amuser, elle lance parfois des mauvais sorts au hasard.

DE GENTILLES SORCIÈRES !

Souvent moins laides que les méchantes sorcières, elles préfèrent se servir de leur pouvoir pour faire du bien autour d'elles.

Elles aiment beaucoup les enfants et aident les pauvres gens à être plus heureux. Ce sont sûrement d'anciennes fées.

Parfois, avec l'âge, une sorcière peut perdre sa méchanceté et, prise de remords, décider de ne plus jeter de mauvais sorts.

Elle procure des philtres d'amour à de jeunes femmes pas très belles, et guérit parfois grâce à ses potions qui ont pourtant un drôle de goût !

Elle protège les maisons contre les méchantes sorcières.

Elle aide les parents à retrouver leurs enfants perdus.

LES FÉES

Elles sont souvent belles ! Pour les apercevoir, il faut croire très fort en elles, et surtout avoir un cœur d'enfant.

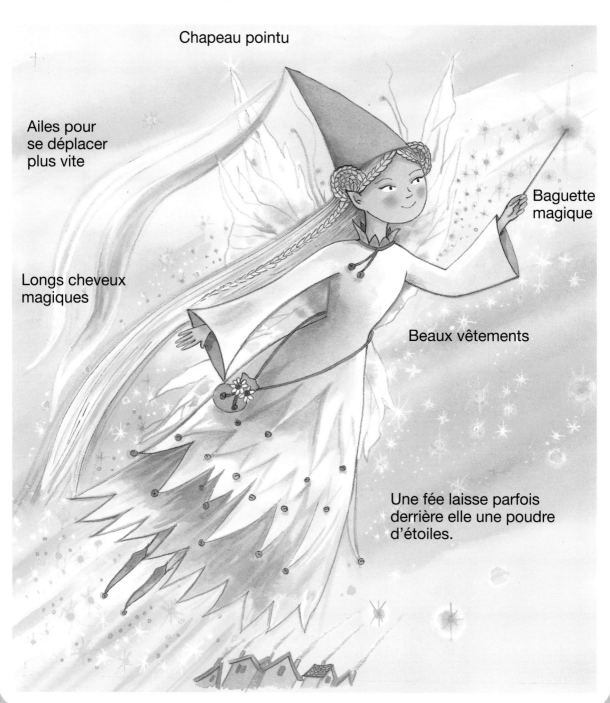

Chapeau pointu

Ailes pour se déplacer plus vite

Baguette magique

Longs cheveux magiques

Beaux vêtements

Une fée laisse parfois derrière elle une poudre d'étoiles.

LE ROYAUME DES FÉES

Les fées ont un royaume, mais on ne sait pas où il se trouve : sous terre, dans les airs, ou caché sous les eaux glacées d'un étang ?

Dans leur royaume, les fées vivent en harmonie. Elles y apprennent leurs tours de magie au son de douces mélodies jouées par les fées musiciennes.

LES ENFANTS ET LES FÉES

Les fées aiment les enfants sages et obéissants qui vont au lit quand on le leur dit et qui s'endorment immédiatement.

Pour récompenser les enfants qui se couchent sans rien dire, les fées se glissent dans leurs rêves et organisent des fêtes avec leurs jouets.

Pour punir les enfants qui se couchent en criant, les fées n'hésitent pas à leur faire vivre un horrible cauchemar pour qu'ils ne recommencent pas.

LES FÉES DE LA PLUIE ET DU BEAU TEMPS

Elles habitent dans le ciel un beau palais suspendu aux nuages. Au début du printemps, elles se réunissent pour décider du temps qu'il fera.

Les discussions sont longues. Quand doit-il faire beau ? Quand doit-il pleuvoir ? Les décisions sont transmises aux fées de la nature.

LES FÉES DE LA NATURE

Ayant pris connaissance du temps à venir, chaque petite fée sait ce qu'elle doit faire pour réveiller la nature endormie durant l'hiver.

Un calendrier très précis est établi, afin que les petites primevères sortent les premières et que le muguet soit en fleur au mois de mai.

LES HOMMES FÉES

Ce sont des princes ou des chevaliers du royaume des fées.
Le prince qui réveille la Belle au bois dormant est un homme fée.

Dès sa naissance, le jeune prince reçoit ses pouvoirs des fées marraines. Devenu un beau jeune homme, on lui offre une corne magique en or pour qu'il ne vieillisse jamais.

Ce prince combat d'horribles dragons, envoie des démons dans les feux de l'enfer et délivre les belles princesses des méchants chevaliers noirs.

LES ENCHANTERESSES

Ce sont de belles dames qui ont appris des tours de magie avec un magicien, une fée ou une sorcière.

Elles sont très bien habillées, car elles veulent être comparées aux fées. Elles se rassemblent souvent dans un château en haut d'une montagne.

On dit qu'elles sont gentilles avec les pauvres gens, mais aussi qu'elles sont très jalouses et parfois coléreuses.

LA SORCIÈRE DES EAUX

C'est une horrible sorcière, qui vit dans un palais enchanté, au fond d'un lac hanté où elle garde un fabuleux trésor. Elle est très rusée !

Pour attirer ce jeune homme, elle lui jette un mauvais sort, l'entraîne sous l'eau à bord d'une barque magique et se transforme en fée magnifique.

Devant tant de beauté, le jeune homme tombe amoureux. Alors la fée devient une horrible créature, et elle le change en carpe, son mets favori.

LA FÉE SERPENT

Elle dort le jour au fond d'une caverne et ne sort que la nuit, cachée sous une parure de dragon à longue queue de serpent.

Elle vole en battant des ailes, guidée par la lumière de son énorme diamant rouge fixé au milieu de son front. Elle aime se baigner dans l'eau fraîche des étangs, sa peau de dragon posée sur la berge.

Malheur à celui qui voudrait l'approcher pour lui dérober son diamant ! Aussitôt, elle se glisse sous sa peau de dragon et lance des flammes pour le faire disparaître.

QU'EST-CE QUE DES FANTOMES ?

Ce sont des morts qui réapparaissent sur terre sous forme de silhouettes transparentes ou recouverts d'un drap blanc.

Les fantômes de princes ou de rois hantent leurs anciens châteaux. Quand ils sont présents, ils n'aiment pas être dérangés.

LA VIE AVEC UN FANTOME ÉPOUVANTABLE

Certains fantômes ne supportent pas de partager leur maison avec des vivants. Ils ne leur font pas de mal, mais ils les embêtent tout le temps.

Ce monsieur vient d'acheter une maison hantée sans le savoir.

Aussitôt, le fantôme vient saluer le nouveau propriétaire.

Le fantôme s'amuse alors à déplacer les objets, et surtout à jouer avec les lumières et le téléphone, ce qui augmente un peu les factures !

Les fantômes font craquer les murs, claquer les portes, grincer les parquets et hurlent des « hou ! hou ! hou ! » effrayants.

La nuit, impossible de dormir : le fantôme fait trop de bruit ! Impossible aussi de dîner en amoureux : le fantôme surgit dès le début du repas.

Pour rire, il plume le perroquet ou peint le chat de toutes les couleurs.

Le fantôme a gagné ! Le propriétaire n'en peut plus et préfère s'en aller.

VIVRE AVEC DE GENTILS FANTOMES

Certains fantômes acceptent la présence des vivants. Ils sont même très agréables et aiment rendre service.

Ils font partie de la famille et acceptent d'être pris en photo !

Ils gardent aussi les enfants quand les parents sortent le soir.

Ce sont de bons gardiens, qui n'hésitent pas à chasser les voleurs !

Difficile de faire croire aux amis que l'on vit avec des fantômes !

DES FANTOMES VOYAGEURS

Les fantômes ne restent pas tous enfermés dans les châteaux ou les maisons, certains aiment se promener dans les lieux qu'ils ont connus.

Des marins ont été terrorisés par des pirates surgis à bord d'un bateau fantôme qui s'est approché d'eux et a disparu aussitôt.

Un couple a failli être renversé par un carrosse fantôme tiré par des chevaux fantômes appartenant à un seigneur qui vivait il y a longtemps !

OU TROUVER DES FANTOMES ?

Pour avoir toutes les chances d'en apercevoir un, il vaut mieux aller dans les très vieux châteaux.

Les fantômes ne sont pas toujours seuls. Ils aiment se retrouver ensemble pour passer un moment agréable ou pour discuter du passé.

Quand tu admires les portraits des anciens propriétaires d'un château, regarde bien leur tête. Si elle bouge, c'est qu'un fantôme est là.

LE MARCHAND DE SABLE

C'est un très vieux monsieur qui rôde le soir autour des maisons et lance du sable dans les yeux des enfants pour les endormir.

Il habite seul sur une petite planète, pas très loin de la lune.

Chaque soir, il remplit de sable magique d'énormes sacs de toile.

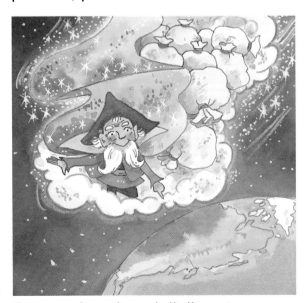

Au coucher du soleil, il part sur son nuage en direction de la terre.
Il s'arrête au-dessus des maisons des enfants qui ne veulent pas dormir.

Le marchand de sable est un grand magicien spécialisé dans les poudres de sommeil. Après bien des essais, il a choisi le sable magique.

Il tend l'oreille, écoute les cris et s'approche sans faire de bruit. Puis il jette son sable à travers la chambre en direction des enfants.

Aussitôt, ils se calment, se frottent les yeux et se glissent gentiment dans leur lit pour une douce nuit.

LE CROQUE-MITAINE

Le croque-mitaine est un géant qui vient chercher les enfants désobéissants pour les garder pendant quelque temps dans sa maison.

Quand un enfant n'est pas sage, qu'il ne veut pas ranger ses jouets ou se mettre à table, les parents peuvent appeler le croque-mitaine.

Il vient avec son grand sac. Inutile de se cacher dans un placard ou derrière la porte, le croque-mitaine connaît toutes les cachettes.

Certaines personnes qui le connaissent bien disent qu'il habite près des villes et des villages, ce qui lui permet d'arriver très vite.

Dans sa maison, Croque-Mitaine ouvre son grand sac et il enferme l'enfant dans une cave toute noire où grouillent des araignées poilues.

Le lendemain, l'enfant, qui a eu très peur, promet d'être sage. Alors, le croque-mitaine le ramène chez lui. Et toi, connais-tu le croque-mitaine ?

QU'EST-CE QU'UN VAMPIRE ?

C'est une très méchante créature qui ressemble à un homme. On le reconnaît à son teint blanc, ses ongles longs et ses dents pointues.

Le vampire habite un château en ruine. Il a horreur de la lumière et ne sort que la nuit. Le jour, il dort dans un cercueil. Il se nourrit de sang, ce qui lui donne une haleine forte, que seul son serviteur mort vivant peut supporter.

UNE FAMILLE DE VAMPIRES

Il n'y a rien de pire pour un vampire que de vouloir se marier.
Les femmes vampires sont peu nombreuses, aussi doit-il séduire
une jeune fille qui n'est pas de son espèce !

S'il aperçoit la jeune fille de ses rêves, il se cache pour lui faire peur. Puis il la prend dans ses bras et lui mordille le cou. La jeune fille est sous le charme, ses dents s'allongent et des griffes poussent au bout de ses doigts.

Le mariage est célébré dans la plus stricte intimité et le vampire peut ainsi fonder une famille et vivre tranquillement comme des milliers d'autres vampires.

LES ACTIVITÉS DU VAMPIRE

Le vampire est toujours élégant : costume bien taillé, longue cape noire en satin et chaussures parfaitement cirées. C'est un vrai gentleman !

Avant de sortir, il rafraîchit son haleine. Pour son anniversaire, il préfère les gâteaux dégoulinants de gelée de sang de souris blanches.

Les boutiques de vampires sont ouvertes toute la nuit !

Pour se désaltérer, rien de tel qu'un petit verre de sang frais !

QU'EST-CE QU'UN LOUP-GAROU ?

Un loup-garou, c'est un homme qui, durant les nuits où la lune est toute ronde et toute jaune dans le ciel, se transforme en loup.

Le loup-garou a une tête de loup, une queue touffue, des mains et des pieds griffus et poilus. Il marche comme un homme, ou à quatre pattes comme une bête. C'est peut-être une sorcière qui change l'homme en loup-garou !

COMMENT DEVIENT-ON LOUP-GAROU ?

Le loup-garou est très méchant. Il vit surtout dans la forêt. Il s'attaque aux animaux et à toute personne qui se trouve sur son chemin.

Il existe des familles de loups-garous. Ils ont l'air très gentils, mais il faut se méfier !

On peut devenir loup-garou si on est mordu par l'un d'entre eux !

Devant un loup-garou, il faut réagir vite et trouver une gentille sorcière ou un magicien qui connaît le secret des balles magiques en argent, puis les tirer sur le loup-garou pour qu'il redevienne un homme !

LES OGRES

Les ogres sont des géants qui se nourrissent de chair fraîche, et particulièrement d'enfants, car ils sont plus tendres sous la dent.

Le Petit Poucet échappe à l'ogre grâce à ses bottes de sept lieues.

Jack vole la poule aux œufs d'or à l'ogre qui vit dans les nuages.

La sorcière qui veut manger Hänsel est une méchante ogresse.

Gargantua est un ogre original : il avale tout sans distinction.

GARGANTUA

Gargantua est un ogre géant qui a un très gros appétit. Pour son petit déjeuner, il est capable d'avaler un bateau avec tout son équipage !

Un jour qu'il avait grand soif, il but une énorme gorgée d'eau et avala sans s'en rendre compte un bateau chargé de poudre à canon. Il tomba malade et, pour le calmer, on fit descendre un médecin dans son estomac.

Le médecin enflamma la poudre, qui explosa. De la fumée sortit de la bouche, du nez et du derrière du géant, qui se sentit beaucoup mieux. Puis il voulut se soulager et c'est ainsi que malgré lui il éteignit un incendie.

JEU D'ERREURS MONSTRUEUSES

Observe chaque personnage. L'illustrateur a fait de grosses erreurs en les dessinant. Peux-tu les corriger ?

A - Le fantôme a volé le balai de la sorcière. B - La fée a la barbe du magicien.
C - La sorcière s'est glissée dans le drap du fantôme. D - Le marchand de sable a
pris le sac plein d'enfants du croque-mitaine. E - Le magicien se prend pour une fée.
F - Le croque-mitaine est trop lourd pour le nuage du marchand de sable.

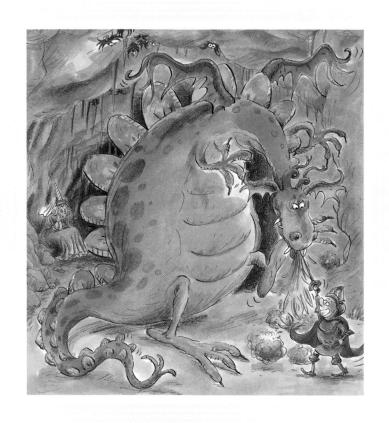

ANIMAUX FANTASTIQUES

LES DINOSAURES

Ces animaux extraordinaires vivaient il y a très longtemps, alors que l'homme n'existait pas. Certains semaient la terreur, comme le redoutable tyrannosaure, qui avait un appétit d'ogre et dévorait tous

tyrannosaure

les dinosaures qu'il pouvait attraper. D'autres étaient monstrueusement longs, comme le diplodocus, qui se régalait de plantes et était doux comme un mouton. Mystérieusement, tous ces animaux ont disparu. Pourquoi ? Comment ? On le saura peut-être un jour !

diplodocus

SI LES DINOSAURES REVENAIENT !

Imagine ta ville envahie par les dinosaures. Il y aurait un moment de panique : les carrefours seraient bloqués, les policiers débordés, les voitures renversées et les commandants de bord déboussolés !

Parmi tous ces dinosaures, les plus gros ne sont pas les plus méchants. Bien au contraire, ils sont très gentils et ils seraient sûrement ravis de jouer avec toi ! Il faudrait seulement éviter de te retrouver sous leurs pattes, car tu serais aplati comme une crêpe !

LES DRAGONS

Qu'est-ce qui est gros, grand et souvent méchant ? Qui ressemble à un serpent géant ? Qui crache du feu ? Le dragon, évidemment !

Ce dragon a capturé une belle princesse et le courageux chevalier vient la délivrer. Mais s'il ne connaît pas la formule magique qui endort le dragon, il va être tout grillé !

LES GENTILS DRAGONS

Les gentils dragons, ça existe ! Ils sont un peu encombrants si on veut les adopter, mais tout à fait charmants avec les enfants.

Le gentil dragon est souvent gourmand : les gâteaux, il ne peut pas s'en passer. Si on veut le garder, il porte chance, mais il faut l'alimenter !

Certaines fées aux épaules fines et aux petits seins en forme de noisettes se cachent sous une peau de dragon. Elles passent leur temps à observer les petits enfants et à renvoyer les ballons en soufflant dessus.

LES DRAGONS CRUELS

Les dragons cruels sont sans pitié. Ils n'ont qu'une idée en tête :
attraper ceux qui passent trop près d'eux !

Ce genre de dragon tout bossu est très têtu : il ne pense qu'à manger.
Il dévore les chevaliers ou il les piétine sous ses gros pieds.

Ce dragon est un rusé. Il s'approche du gentil chevalier en lui faisant les
yeux doux et, sans en avoir l'air, il s'enroule autour de lui et l'avale tout cru.

LE DRAGON CHINOIS

En Chine, le dragon est vénéré. C'est un dragon à l'humeur gaie qui passe sa vie à danser. Il fait tomber la pluie et fleurir les prés.

N'aie pas peur, ce dragon n'est pas méchant. Il a des pattes de coq, des crocs de serpent et des écailles de poisson.

Sous leur dragon de papier, les Chinois organisent de grands défilés pour fêter la nouvelle année. La danse du dragon fait renaître le printemps.

LA LICORNE

La licorne ressemble à un cheval, mais elle a une corne au milieu du front. Elle joue les coquettes et n'ose pas se montrer.
Bien malin, celui qui l'attrapera !

La licorne est l'amie des demoiselles. Près d'elles, elle se sent tout amoureuse et elle oublie sa timidité.

Quand un chasseur rusé arrive à l'approcher pour la capturer, il se place devant un arbre, la laisse foncer tête baissée et se dégage au dernier moment !

Œil d'aigle et pattes de lion, les griffons sont de fiers compagnons. Ils ont le corps du fauve et les ailes de l'oiseau.

Une légende dit que les griffons sont les gardiens des trésors d'Apollon, dieu grec de la Lumière et de la Musique. Chaque hiver, il disparaît, emportant le soleil et les chansons. Il les confie aux griffons, qui gardent d'autres trésors, jusqu'au retour du printemps, où il réapparaît sur son char rayonnant.

LES SIRÈNES

Mi-femmes mi-poissons, les sirènes ont des cheveux longs.
Elles vivent au fond de l'eau. La mer est leur royaume.

Leur maison est un palais de coquillages et de galets. Elles ont une reine et
des valets, des dauphins pour les servir et des sirins pour les aimer. Elles mangent
des huîtres à chaque dîner et gardent les perles pour leur collier.

Certaines sirènes sont vilaines, disent les histoires anciennes.
Elles ont l'air douces et attirantes, mais c'est un piège !

Des sirènes ont une tête de sorcière et s'amusent à faire peur aux matelots ;
d'autres, mais très peu, ont un corps d'oiseau et sèment la terreur.

Les sirènes sont très belles, a raconté le célèbre Christophe Colomb, qui les a
rencontrées en traversant l'Océan. Mais attention à celui qui écoute leur chant :
il deviendra fou et finira par se noyer en essayant de les approcher !

Les sirènes n'ont pas toutes mauvaise réputation. Nombreuses sont celles qui font du bien autour d'elles.

Les sirènes vivent auprès de leur sirin très longtemps : 29 600 ans, pas un jour de plus, pas un jour de moins. Elles font fête aux marins en leur chantant de gais refrains.

En cas de pépin, elles se démènent ! Elles préviennent les navires quand une tempête est annoncée. Elles lancent aussi des SOS quand un navire a chaviré. Ce sont les messagères des marins en détresse.

LES DAUPHINS ET LES HOMMES

Les dauphins sont des copains. Ils aident les marins à trouver leur chemin, ils rabattent le poisson dans les filets des pêcheurs.

Qui sont les dauphins ? Une légende raconte que Dionysos, dieu grec du Vin, s'était fait enlever par des pirates pas très malins. Dionysos fit pousser la vigne et couler le vin sur le bateau.

Puis il se changea en lion et cria : « J'ai grand-faim ! » Les pirates, affolés, se jetèrent à la mer. Le dieu grec les transforma en dauphins tout gentils et les dressa pour qu'ils deviennent les amis des hommes.

LE KRAKEN

Crac ! Voilà le kraken. Sur le navire, c'est la panique. La coque tremble et se brise. Le kraken est sans pitié, il croque, écrase et fait tout chavirer.

Le kraken est une énorme pieuvre. De loin, les marins la confondent avec une île. Ils s'approchent sans se méfier et soudain, crac ! la terre bouge, l'île se soulève et le monstre apparaît, en tendant ses tentacules comme d'immenses filets.

LES MONSTRES DES EAUX

Sous l'eau, le monstre est au repos. Il barbote et grignote les algues et les poissons. Mais dès qu'il sort, c'est la terreur !

Au milieu d'un lac écossais, appelé loch Ness, vit un monstre pas méchant mais très impressionnant. Il aimerait jouer avec les enfants, mais ils se sauvent en le voyant.

Dans un fleuve d'Afrique se cache un monstre à grandes dents. Il est l'ami du crocodile et du serpent. Son passe-temps, c'est de soulever les pirogues.

LE YETI ET AUTRES MONSTRES POILUS

Dans les montagnes vivent de grands monstres à l'allure de gorille.
Ils ne sont pas beaux et plutôt patauds.

Le yeti est très connu. On l'appelle « l'abominable homme des neiges ».
Il vit au Tibet, dans les plus hautes montagnes du monde.

En Amérique, dans la forêt, on peut croiser le Big Foot, le monstre aux
grands pieds. Certains disent que c'était l'ami de l'homme préhistorique.

MOBY DICK

Il était une fois une énorme baleine blanche. C'était une bête furieuse et sanguinaire qui s'attaquait aux bateaux qu'elle rencontrait.

Cette baleine s'appelait Moby Dick. Elle tuait et avalait tout ce qu'elle trouvait sur son passage. Alors, Achab, le capitaine d'un navire, décida de la détruire.
Il l'attaqua au harpon et le combat fut très long. Mais Moby Dick renversa son bateau et mangea les matelots.
Puis elle entraîna Achab au fond de l'océan et on ne les revit plus jamais.

LE SPHINX DE GRECE

C'était une créature ailée à tête de femme et au corps de lion, un horrible monstre qui terrorisait tout le monde.

La légende raconte que ce sphinx dévorait tous les voyageurs qui avaient le malheur de passer près de lui et qui ne pouvaient pas répondre à cette question : « Qui est-ce qui marche à quatre pattes le matin, à deux pattes le midi et à trois pattes le soir ? »
Connais-tu la réponse ou aurais-tu été croqué par le sphinx ?

LE SPHINX D'ÉGYPTE

Au pied des pyramides se dresse un sphinx majestueux. C'est une immense statue de lion à visage humain représentant un pharaon.

Sphinx signifie « statue vivante » en égyptien et les gens de l'époque pensaient que cette statue de pierre les aurait tués s'ils avaient osé pénétrer dans les tombeaux sacrés.

LES GARDIENS DE TRÉSOR

De fabuleux trésors sont cachés partout dans le monde.
Ils sont toujours difficiles à atteindre, et surtout surveillés jour
et nuit par de redoutables monstres.

Ce dragon garde l'arbre dont les fleurs magiques empêchent de mourir. Mais personne ne peut en posséder, car, dès qu'elles tombent, le monstre les avale.

Celui qui réussit à s'emparer des pierres précieuses incrustées dans le corps de ces serpents devient aussi fort que les magiciens.

Ce dragon a l'air endormi, mais il faut se méfier ! Il a dévoré tous les chevaliers qui ont essayé de lui dérober ses pièces d'or et ses bijoux.

LA PETITE SOURIS

Quand tu perds une dent de lait, il faut la glisser sous l'oreiller, car la petite souris va venir la chercher et déposera à la place un petit présent.

Dès que ta dent est tombée, la petite souris doit être prévenue. Tous les adultes connaissent son numéro de téléphone. Les lignes sont parfois occupées, mais il faut insister.

Quand tu vas te coucher, dépose la dent sous l'oreiller, pas trop loin du bord, et ferme très vite les yeux. La petite souris passera dans la nuit.

Que fait la petite souris de toutes les dents qu'elle récupère ?
Elle les emporte dans son royaume, où elles servent de briques
pour construire les maisons !

Dans ce lieu gardé secret, les souris fabriquent aussi les petits cadeaux que tu trouves sous l'oreiller. La petite souris est très occupée, car les coups de fil sont très nombreux. Avant de repartir, elle vérifie une dernière fois l'adresse et s'envole sur son grand oiseau blanc pour aller chercher une nouvelle dent.

QUI SUIS-JE ?

Je suis très poilu et je vis dans les hautes montagnes.
Je suis :
— un yeti
— un homme de Cro-Magnon.

Je ressemble à un cheval et j'ai une corne au milieu du front.
Je suis :
— une licorne
— un rhinocéros.

J'ai une queue de serpent et je crache du feu. Je suis :
— un griffon
— un dragon.

J'ai une tête de femme et un corps de poisson.
Je suis :
— une sirène
— une baleine.

Je garde les tombeaux des pharaons.
Je suis :
— un phénix
— un sphinx.

Je sème la terreur dans un lac écossais.
Je suis :
— le monstre du loch Ness
— le monstre du lac Noir.

DES HÉROS
DE LÉGENDE

THESEE ET LE MINOTAURE

Il y a très longtemps, en Grèce, vivaient de grands héros.
De fabuleuses légendes racontent leur histoire. Voici celle de Thésée.

Le roi Égée aime une jeune fille qui vit loin de la cour. Elle attend un enfant de lui.
Avant de repartir, le roi place son épée sous une lourde pierre et lui dit : « Si notre
enfant est un garçon, c'est grâce à cette épée que je le reconnaîtrai. »

Des mois plus tard, la jeune femme met au monde Thésée. Le jour de ses 16 ans,
elle lui répète les paroles du roi. Thésée, qui est très fort, soulève le rocher, prend
l'épée et rejoint son père. En chemin, il se bat avec des brigands.

Quand Thésée arrive à la cour du roi, son père, tout le monde connaît déjà ses exploits. Le roi voit l'épée et reconnaît son fils.

Le soir a lieu un grand banquet en l'honneur de Thésée. Pourtant, son père est triste, car un terrible malheur se prépare. Son voisin, le roi de Crète, a pour fils un horrible monstre au corps d'homme et à tête de taureau : le Minotaure.

Tous les ans, sept jeunes filles et sept jeunes hommes grecs doivent être offerts en nourriture au Minotaure, qui est enfermé dans un sombre labyrinthe dont personne ne peut sortir. Et le prochain départ est pour le lendemain.

Thésée est un homme courageux. Il aime tendrement son père ;
il décide de l'aider et d'aller lui-même tuer cet affreux monstre.

Il prend la place d'un des jeunes hommes et monte sur le bateau qui part vers
la Crète. En arrivant sur l'île, Thésée rencontre Ariane, la fille du roi de Crète.
Ariane tombe tout de suite amoureuse de lui.

Le soir, elle lui donne une pelote de fil et lui dit : « Demain, dans le labyrinthe, noue
le bout du fil au pilier près de la porte et déroule la pelote derrière toi en avançant.
Ainsi, tu retrouveras la sortie. »

Les jeunes gens sont terrorisés. Mais Thésée suit les conseils d'Ariane et il s'enfonce dans le labyrinthe. Soudain, le Minotaure se dresse devant lui.

Thésée dégaine aussitôt son poignard et frappe le monstre en plein cœur. Le Minotaure est mort. Pour sortir du labyrinthe, Thésée s'oriente en suivant le fil qu'il a tendu tout le long de son chemin.

Avec ses compagnons, il retrouve Ariane, qui les attend au-dehors. C'est la fête : personne n'a été mangé. Tout le monde s'embrasse et rit. Ils montent ensemble sur le bateau et voguent vers la Grèce.

ULYSSE ET LE CYCLOPE

Ulysse est un brillant guerrier. Il sillonne les mers avec ses compagnons.
Au retour vers son pays, une tempête l'oblige à s'arrêter sur une île.

Ulysse pénètre dans une caverne de berger. Il décide de s'y reposer avec ses compagnons. Ils font un grand feu et mangent de bon appétit du fromage et du lait.

Soudain, ils entendent résonner des pas lourds et bêler des moutons : c'est le berger qui rentre chez lui. Son corps de géant apparaît à l'entrée de la caverne. Il n'a qu'un seul œil au milieu du front : c'est un cyclope.

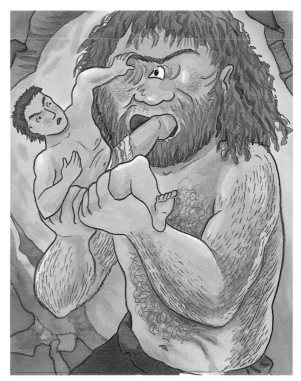

Le géant est furieux de trouver des intrus chez lui. Il empoigne deux des amis d'Ulysse et les secoue en poussant de terribles rugissements. Ulysse le supplie de ne pas leur faire de mal, mais le géant les avale d'un trait.

Le lendemain matin, le Cyclope sort faire paître son troupeau et ferme la caverne avec un gros rocher. Il sourit en pensant au bon repas qu'il fera en rentrant. Mais Ulysse a un plan : il taille un pieu solide dont il durcit la pointe dans le feu.

Le soir, au repas, Ulysse offre une coupe de vin au géant. Celui-ci lui demande son nom et Ulysse, malin, répond : « Personne. » Le Cyclope n'a pas l'habitude de boire du vin. Il s'endort bientôt d'un sommeil pesant.

Aussitôt, Ulysse bondit et enfonce son pieu pointu dans l'œil du Cyclope. C'est terrible. Aveuglé, le Cyclope se met à hurler de toutes ses forces en se débattant. Il crie : « On m'assassine, on m'assassine ! »

Les autres géants qui habitent sur l'île accourent à ses cris. Ce sont tous d'horribles cyclopes. Ils lui demandent : « Qui t'assassine ? » Et le géant répond : « Personne ! » Alors, les cyclopes repartent sans avoir rien compris.

Le matin venu, le Cyclope déplace la pierre qui bouche l'entrée de la caverne pour faire sortir ses moutons. Ulysse a alors l'idée d'attacher ses compagnons sous le ventre des moutons afin de s'échapper.

Le Cyclope, qui ne voit plus, tâte le dos de ses moutons pour vérifier que ses prisonniers ne se sauvent pas. Mais il ne sent pas les hommes cachés sous le pelage des bêtes. Ulysse et ses amis sont libres. Ils courent vers leur navire.

En s'éloignant de l'île, Ulysse crie au géant : « Je m'appelle Ulysse et c'est moi qui t'ai percé l'œil ! » Le Cyclope, en colère, jette une pluie de pierres en direction du bateau et hurle : « Sois maudit, Ulysse ! »

LES DOUZE TRAVAUX D'HERCULE

Hercule est mi-dieu mi-homme. Sa force et son courage sont extraordinaires et son âme généreuse. Mais il manque de patience et de discipline. Ses colères sont terribles et meurtrières.

Tout petit déjà, il tue son maître de musique, qui lui reproche sa turbulence, en l'assommant d'un coup de lyre. Devenu jeune homme, il ose, un jour de tempête, insulter et défier Poséidon, le dieu de l'Océan, qui malmène son navire.

Un soir, très en colère, il prend ses flèches et massacre sa femme et ses trois enfants. Quand il réalise ce qu'il a fait, son désespoir est immense : il est maudit. Alors, il se rend auprès de son cousin le roi pour implorer son pardon.

Pour racheter ses fautes, le roi demande à Hercule d'accomplir douze épreuves plus difficiles les unes que les autres.
Il lui faut d'abord affronter un lion redoutable.

Hercule se présente devant le lion qui sème la terreur autour de lui, armé de son arc et de ses flèches... Mais sa peau est si épaisse que les flèches ne peuvent pas la percer.

Hercule attaque alors le fauve à mains nues. Insensible à ses coups de griffes et de crocs, il le serre à la gorge jusqu'à l'étouffer. Quand le lion est mort, il prend sa peau et la noue autour de son corps comme une armure.

La deuxième épreuve est encore plus dangereuse. Hercule doit combattre un monstre terrifiant qui vit dans un marais : l'Hydre de Lerne un monstre à neuf têtes qui crachent du venin.

Hercule prend sa massue et se précipite sur l'Hydre. C'est alors qu'un crabe énorme surgit des eaux et lui pince le mollet. Devant lui, les têtes de l'Hydre ondulent en sifflant et en crachant.

Hercule tranche les têtes de l'Hydre avec une faucille. Son neveu, qu'il a appelé à l'aide, brûle les plaies avec une torche pour qu'elles se referment et que les têtes ne puissent plus repousser. Le monstre meurt et Hercule récupère son venin.

D'autres épreuves suivent : Hercule capture une biche aux cornes d'or et un sanglier sauvage. Il tue les oiseaux mangeurs d'hommes grâce à ses flèches empoisonnées et nettoie en un jour d'immenses écuries.

Pour sa septième épreuve, le roi ordonne à Hercule de lui ramener vivant un célèbre taureau qui vit en Crète, une île au sud de la Grèce. Ce taureau cause beaucoup de dégâts dans les cultures et personne n'arrive à le dompter.

Hercule saisit le taureau par les cornes et lutte de toutes ses forces. L'animal est très puissant, mais il finit par se fatiguer et tombe sur le sol. Hercule lui lie les pattes et il l'emporte sur ses épaules jusqu'au bateau, qui les ramène en Grèce.

Les épreuves d'Hercule ne sont pas terminées. Il doit encore tuer le roi Diomède, qui nourrit ses chevaux de chair humaine, et conquérir la ceinture d'or de la reine des Amazones.

Le roi lui demande ensuite d'aller chercher les troupeaux de Géryon, un puissant seigneur du sud de l'Espagne. Hercule assomme de sa massue le chien à deux têtes qui garde le bétail ainsi que le géant qui en est le berger.

Géryon, furieux, ne tarde pas à accourir en personne. C'est un véritable colosse à trois troncs et trois têtes. Vite, Hercule saisit son arc et il le transperce de ses flèches. Le troupeau est à lui !

Il reste deux épreuves. La première est facile : il suffit d'aller cueillir les fruits d'un merveilleux jardin. Mais la dernière est terrible : Hercule doit apprivoiser le méchant chien Cerbère, qui garde les Enfers.

Cerbère a trois têtes et une queue fourchue. Hercule met sa peau de lion pour se protéger. Il prend le chien par le cou en lui parlant doucement et Cerbère le suit comme un gentil toutou.

Hercule a réussi les douze épreuves. C'est un vrai héros. Mais il continue à tuer les autres. Alors, il décide de mourir à son tour : il fait préparer un grand bûcher et se fait déposer au sommet. Hercule s'élève au milieu des flammes et disparaît à jamais.

LA CHUTE D'ICARE

Le jeune Icare a un vieux père intelligent et savant, qui s'appelle Dédale.
Dédale a depuis longtemps un rêve : il veut voler.

Il fabrique deux paires d'ailes en collant des plumes avec de la cire d'abeille.
Il fixe la première sur les épaules de son fils, en l'attachant avec des lanières, et
la seconde sur ses propres épaules. « Voilà, dit-il à Icare, nous pouvons voler. »

Les deux hommes battent des ailes et s'envolent. Au-dessus des champs, ils voient
les paysans labourer la terre et récolter la moisson. Des pays entiers défilent sous
leurs yeux. Comme c'est beau !

La terre disparaît, il ne reste que la mer au-dessous d'eux. Icare est ivre de joie et de plaisir. Son père lui dit : « Ne vole pas trop haut, c'est dangereux ! » Mais Icare se prend pour un oiseau. Il veut monter encore plus haut pour toucher le soleil.

Icare s'avance si près du soleil que la cire qui fixe ses ailes se met à fondre, et ses plumes se détachent une à une. Il tombe comme une pierre dans la mer et se noie. Pour avoir refusé d'écouter la voix de la sagesse, Icare a perdu la vie.

PÉGASE ET LA CHIMÈRE

Bellérophon est un jeune homme sans courage et sans force. Un jour, le roi lui demande d'aller combattre un monstre effroyable : la Chimère. Bellérophon a peur et n'arrête pas de pleurnicher.

Les dieux ont pitié du malheureux jeune homme et décident de l'aider. Ils lui offrent un magnifique cheval à la robe blanche, un cheval magique qui peut voler : Pégase.

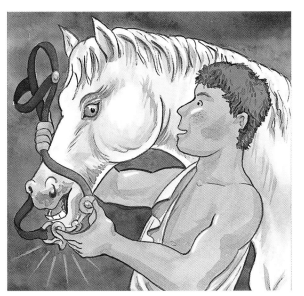

Les dieux lui offrent aussi un mors en or. Pégase est un cheval sauvage, mais, quand Bellérophon lui met le mors dans la bouche, il devient très docile. Armé de son casque et de son bouclier, Bellérophon s'envole sur son cheval ailé.

La Chimère est un monstre effroyable. Elle a une tête de lion,
un corps de chèvre et une queue de dragon. Elle crache du feu
par la gueule et du venin par la queue.

Pour la tuer, il faut la frapper au flanc, sur le côté du ventre, et diriger ses flèches de
haut en bas. C'est impossible pour un homme normal. Mais, grâce à son cheval ailé,
Pégase, Bellérophon fonce sur la Chimère depuis le ciel et la crible de flèches et
de coups de lance et la tue.

Bellérophon est content d'avoir réussi sa mission. Il se croit très fort et se vante partout de son courage. Il va même jusqu'à caracoler devant les dieux pour les impressionner. Les dieux, agacés, envoient alors un taon, une sorte de guêpe, pour piquer Pégase.

Le cheval fait une énorme ruade. Bellérophon tombe et se retrouve par terre, tout penaud : le prétentieux est puni ! Puis Pégase s'envole très haut dans le ciel et se transforme en un nuage d'étoiles étincelantes : une constellation.

POSÉIDON

Poséidon est le dieu de la Mer. Sa puissance est immense :
il commande les vagues, provoque les tempêtes et les tremblements
de terre, fait tomber la pluie et souffler les vents.

Poséidon conduit un char tiré par des chevaux à queue de serpent. Il tient un trident pointu qu'il agite quand il veut donner des ordres. Il est entouré d'une multitude de poissons, de dauphins et de toutes sortes de créatures étranges et mystérieuses. Tous les marins ont peur de lui.

JASON ET LA CONQUETE DE LA TOISON D'OR

Jason est à peine né que son père le roi se fait détrôner par son propre frère, Pélias. Pélias est puissant, mais il a peur : un prophète lui a dit qu'un homme chaussé d'une seule sandale viendrait un jour lui faire payer son crime.

La maman de Jason le confie, tout bébé, à un gentil centaure, savant et musicien. Quand il a grandi, Jason va chez Pélias pour réclamer son trône. En chemin, il perd une sandale et se présente devant le roi comme le prophète l'avait prédit.

Mais Pélias est malin : il ne veut pas perdre son trône. Il dit à Jason : « Je te donnerai ta couronne à condition que tu me rapportes la Toison d'or. » Aussitôt, Jason s'embarque pour le pays où est gardé le précieux trésor.

Jason se présente devant le roi du pays, qui lui dit : « Je veux bien te donner la Toison d'or. Mais avant tu dois accomplir un exploit : tu vas atteler deux taureaux sauvages à une charrue, creuser un sillon, y planter des dents de dragon et tuer les géants qui en sortiront. »

Jason n'est pas assez fort pour faire tout ce que le roi lui demande. Heureusement, la fille du roi, Médée, qui est amoureuse de lui, est magicienne. Elle lui donne une potion magique pour apprivoiser les taureaux et une pierre.

Il creuse un sillon, puis il y jette la pierre avec les dents de dragon. D'immenses géants surgissent aussitôt devant lui. Mais, au lieu de l'attaquer, ils se tournent les uns contre les autres et s'entre-tuent.

Le roi, vexé de la réussite de Jason, lui dit : « Puisque tu es si fort, je ne vois pas pourquoi je te donnerais la Toison d'or. C'est toi-même qui iras la chercher. Bon courage, Jason ! »

La Toison d'or est la peau d'un bélier légendaire. Elle est accrochée à la branche d'un grand arbre et gardée par un redoutable dragon. Une fois encore, Médée vient au secours de Jason. Elle ensorcelle le dragon par des formules magiques pendant que Jason décroche la Toison. Puis il regagne son pays avec son butin précieux, devient roi et épouse la belle Médée.

JEU DES HÉROS GRECS

Essaie de reconnaître les héros dessinés ci-dessous
et associe chacun d'eux à l'une des créatures du bas de la page.

LIEUX ET PHÉNOMÈNES FANTASTIQUES

LE MYSTERE DES PYRAMIDES

Les pyramides d'Égypte sont de gigantesques tombeaux qui abritent le corps des pharaons. Mais pourquoi ont-elles cette forme ?

Les pharaons étaient les représentants des dieux sur terre. Ils vénéraient surtout le plus grand, le dieu du Soleil, et c'est pour se mettre sous sa protection dans leur vie après la mort qu'ils ont construit ces pyramides dont la forme rappelle les rayons du soleil.

LA MALÉDICTION DES PHARAONS

Au début du siècle, une équipe de chercheurs a découvert
le tombeau de Toutankhamon, un pharaon mort à 18 ans !

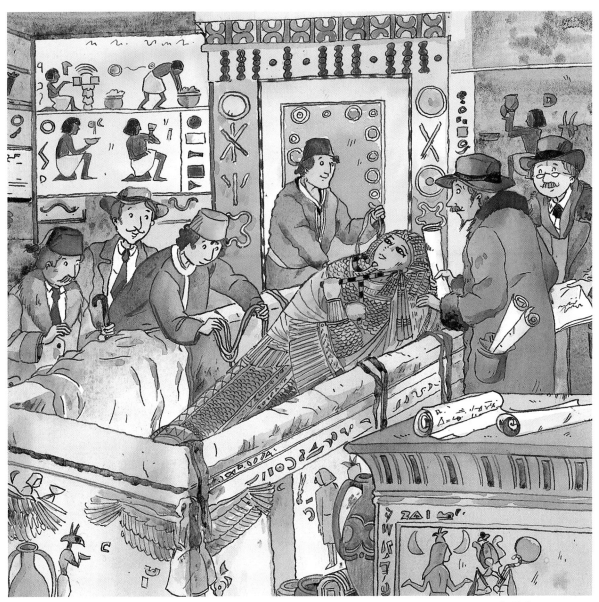

Quelque temps après leur découverte, des hommes de l'expédition sont
morts de façon étrange. Personne n'a pu donner d'explications. Mais,
sur une pyramide, on a relevé la phrase suivante : « La mort abattra de
ses ailes quiconque dérange le repos des pharaons. »

LE MYSTÈRE DES PIERRES LEVÉES

À quoi servaient ces grandes pierres appelées menhirs que l'on trouve dans certains endroits ? Voici quelques réponses.

Cette vaste arène a été construite au temps des hommes préhistoriques en Angleterre. Certains disent que ce serait un repère pour des extraterrestres, d'autres un temple solaire ou encore un lieu de prière.

Une légende très répandue en Angleterre raconte que Merlin,
le célèbre magicien, aurait lui-même construit le monument représenté
sur la page de gauche à la demande d'un roi.

Merlin aurait dérobé ces énormes pierres à des géants et les aurait toutes transportées
en une seule fois, à bord d'une barque magique, sur le lieu de la construction.

Une autre légende affirme que les fées plantent des menhirs un peu partout dans
le monde pour y cacher de fabuleux trésors qu'elles font garder par de petits
monstres. Il ne faut pas toucher à ces pierres, car les fées se mettraient en colère !

LA MONTAGNE SACRÉE

Cette belle montagne qui devient rouge au coucher du soleil
se dresse au milieu d'un désert, de l'autre côté de la terre, en Australie.

Le lieu est assez magique et attire des touristes qui n'hésitent pas à détacher
un morceau de pierre pour le garder en souvenir. Curieusement, cette pierre semble
porter malheur, et nombreux sont ceux qui la renvoient.

Cette montagne est sacrée pour les habitants de la région. Ils croient qu'elle est
habitée par des sortes de fantômes qui ne supportent pas d'être dérangés par
les touristes et se vengent en leur lançant de mauvais sorts.

LES STATUES DE L'ILE DE PAQUES

Sur cette île se dressent d'étranges statues géantes qui pèsent des dizaines de tonnes. Que représentent-elles exactement ? Qui les a sculptées ? Mystère !

Les touristes viennent de très loin photographier ces colosses au regard profond. Les habitants de l'île disent qu'ils incarnent des chefs considérés par les anciens comme les représentants vivants des dieux.

À l'origine, les statues portaient un chapeau de pierre rouge. Des personnes sont persuadées que des créatures venues de l'espace et douées de grands pouvoirs ont fabriqué ces géants pour laisser une trace de leur passage.

LES EXTRATERRESTRES EXISTENT-ILS ?

Dans un pays d'Amérique du Sud, lorsqu'on survole certains champs, on peut apercevoir au sol d'étranges dessins. À quoi servaient-ils ?

Des histoires racontent que ces dessins auraient été tracés par des extraterrestres pour servir de piste d'atterrissage à leurs engins. Mystère ! Aucun savant n'a encore pu donner d'explications !

DES FAITS INEXPLIQUÉS !

Les petits hommes verts existent-ils ? Et des soucoupes volantes sont-elles déjà venues sur la terre ? Voici quelques histoires étranges.

Des villageois ont découvert un trou bizarre dans un champ de trèfle. On aurait dit qu'une grille géante avait été imprimée dans le sol. Quel engin avait pu faire cela ? Aucune réponse n'a été donnée.

Il y a très longtemps, les passagers d'un train aperçurent dans le ciel une grosse boule de feu et entendirent peu de temps après une énorme explosion dont l'origine n'est toujours pas expliquée.

Un pilote d'avion et son copilote affirment avoir vu un drôle d'engin qui ressemblait à une soucoupe volante s'approcher de leur avion. Peut-on les croire ?

Une dame a raconté qu'elle avait été poursuivie dans sa voiture par une boule de feu qui, soudain, s'est dirigée vers une forêt et a disparu. Était-ce un ovni, un objet volant non identifié ? Personne ne sait !

POURQUOI Y A-T-IL UN ARC-EN-CIEL ?

Un arc-en-ciel peut apparaître dans le ciel lorsqu'il pleut et que le soleil brille entre deux nuages. De nombreuses légendes en parlent !

Les Grecs voyaient dans ce phénomène les voiles colorés d'une déesse qui descendait du ciel pour apporter aux hommes les messages des dieux.

La première histoire d'arc-en-ciel est racontée dans la Bible. Lorsque Noé sort de son bateau après le déluge, Dieu fait apparaître dans le ciel un arc-en-ciel en signe d'alliance et d'amitié avec les hommes.

Les Indiens d'Amazonie voient dans l'arc-en-ciel un très grand serpent aux couleurs multicolores qui vient se désaltérer à l'eau des rivières, des étangs et des lacs. Si un jour tu as la chance de contempler un arc-en-ciel près d'un point d'eau, regarde bien : tu apercevras peut-être la tête du serpent.

Une histoire raconte que le pied de l'arc-en-ciel désigne l'emplacement d'un fabuleux trésor qui serait gardé par des nains. Jamais personne n'a pu le découvrir, car, dès que l'on s'approche, l'arc-en-ciel change de place ou disparaît.

LE JOUR ET LA NUIT

Depuis toujours, la nuit succède au jour parce que le soleil se couche le soir et se lève le matin. Mais des mythes donnent d'autres explications !

Les Égyptiens pensaient que le dieu du Soleil traversait chaque nuit le monde des morts et qu'il était attaqué par un serpent, son ennemi. S'il avait été dévoré, le jour ne se serait pas levé. Alors, chaque nuit, le dieu du Soleil se changeait en chat et dévorait la tête du serpent.

En Inde, une légende dit que le jour et la nuit dépendent de l'activité de Brahma, un dieu qui est représenté dans une fleur de lotus. Quand il se lève, le jour apparaît ; quand il se couche, la nuit descend sur la terre.

DES PLUIES ÉTRANGES

Normalement, quand il pleut, il ne tombe que de l'eau. Mais parfois, au milieu des gouttes, il y a des poissons, des grenouilles ou des souris !

D'où viennent ces grenouilles ? D'une mare voisine qui aurait été vidée par un vent violent ? D'un farceur qui aurait renversé, depuis un avion, un sac rempli de ces petites bêtes ? Personne ne le sait. Et pourtant c'est arrivé !

Une pluie de poissons est tombée sur une petite ville anglaise il y a quelques années.
Ce phénomène n'a pas duré très longtemps, mais il reste mystérieux et inexpliqué !
Quelle surprise de voir tomber des poissons sur son pare-brise !

POURQUOI LES VOLCANS CRACHENT-ILS DU FEU ?

Autrefois, les peuples qui vivaient près des volcans pensaient qu'ils étaient habités par des dieux ou des bêtes monstrueuses !

Une légende grecque raconte que le dieu du Feu habite avec des géants dans un volcan où ils fabriquent des armes pour les autres dieux. Chaque fois que le volcan crache du feu, c'est que les géants travaillent !

Une autre légende parle d'un dragon qui se trouverait au cœur de chaque volcan. Quand il se met en colère, il lance des flammes et remue sa queue. Alors le volcan crache du feu et se met à faire un bruit de tonnerre.

POURQUOI LA TERRE TREMBLE-T-ELLE ?

Une histoire indienne explique que la terre tremble parce qu'elle repose sur des éléphants, qui s'appuient sur des tortues, qui tiennent sur un cobra. Quand l'un des animaux bouge, la terre tremble !

D'autres récits disent qu'un énorme monstre serait prisonnier
au centre de la terre et que, chaque fois qu'il bouge,
il provoque des catastrophes.

Un conte russe raconte qu'un dieu très puissant transporterait la terre sur son
traîneau tiré par des chiens. Quand les animaux se grattent à cause des puces,
ils font bouger le traîneau et la terre tremble !

LE CHAMEAU D'ORAGE

Une légende d'Asie explique comment un chameau magique déclenche les orages quand il a trop chaud.

Quand le soleil est trop ardent, le chameau magique se rafraîchit dans la rivière et le souffle brûlant qui sort de ses naseaux provoque la formation d'un énorme nuage noir.

Le nuage emporte le chameau dans les airs. Mais il a du mal à tenir en équilibre. Alors, il se fâche et lance des éclairs dans tous les sens. Quand enfin il se calme et retombe sur le sol, l'orage s'arrête.

POURQUOI Y A-T-IL EU DE LA SÉCHERESSE ?

Il était une fois une petite grenouille verte que personne ne remarquait. Elle vivait seule et sa vie était bien triste.

Elle devait même faire attention à ne pas être écrasée par les autres animaux.

Alors, un jour, elle décida d'agir afin qu'on s'intéresse à elle et se mit à boire toute l'eau des étangs, des lacs et des rivières.

Petit à petit, la terre s'asséchait et la grenouille grossissait, grossissait. Elle devint énorme, car elle retenait toute l'eau qu'elle avalait. Les animaux assoiffés eurent une idée : la faire rire pour qu'elle ouvre la bouche. C'est ainsi qu'ils se mirent à faire des grimaces et la grenouille explosa de rire. La sécheresse était terminée.

LES AURORES BORÉALES

Ce phénomène se produit dans les régions polaires qui sont très froides. De grandes traînées lumineuses aux belles couleurs éclairent la nuit !

Des curieux et des savants se rendent sur place pour mieux observer ce merveilleux spectacle, qui est dû à des poussières électriques venues du Soleil.

Au Moyen Age, ces lueurs magnifiques terrorisaient les populations, qui croyaient qu'elles étaient provoquées par le combat entre les anges et les démons et qu'elles annonçaient la venue de grands malheurs.

POURQUOI LA LUNE DISPARAIT-ELLE ?

Il y a très, très longtemps, quand la lune disparaissait,
les gens étaient très inquiets et chacun essayait de trouver
une explication à ce phénomène !

Les Chinois pensaient que la lune était avalée par un chien caché parmi les étoiles. Alors, ils se mettaient à hurler, à faire claquer des pétards et à jouer du tambour pour l'effrayer et l'obliger à recracher la lune. Ce qu'il faisait, bien entendu !

LES EFFETS DE LA PLEINE LUNE

Les jours où la lune est toute ronde dans le ciel, c'est-à-dire
au moment de la pleine Lune, il se passe des choses étonnantes !

Les naissances sont plus
nombreuses que d'habitude !

Il faut se faire couper les cheveux,
car ils repousseront plus beaux.

Les gens sont plus énervés et
les accrochages fréquents.

Il y a plus d'agressions dans les rues.
Les policiers sont bien occupés !

UN DRAGON POUR FAIRE PEUR

Matériel : rouleaux de papier crépon : 2 vert foncé - 1 vert clair - 1 blanc - 1 rouge - 1 jaune - 1 doré - 2 boîtes en carton, 1 de 39,5 x 30,5 cm et 1 autre un peu plus petite - 2 tubes de colle liquide - 1 rouleau de papier adhésif large - 1 rouleau de papier adhésif double face.

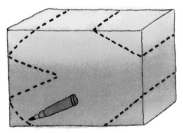

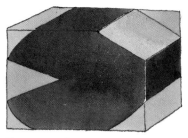

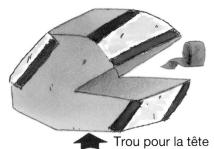

Trou pour la tête

Détache les 4 rabats du grand carton. Ferme le fond avec du Scotch, puis dessine la forme de la gueule du dragon en suivant le modèle.

Demande à un adulte de découper la gueule du dragon avec un cutter. Il te restera la partie colorée présentée ci-dessus.

Bouche les trous, sauf celui réservé à la tête, avec des morceaux de papier que tu maintiens et que tu renforces avec du papier adhésif large.

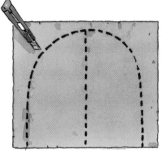

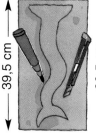

39,5 cm

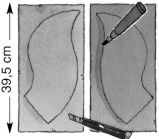

39,5 cm

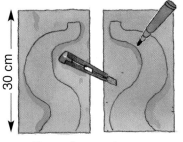

30 cm

Dans un des côtés de l'autre carton, dessine et découpe l'arrière de la tête en suivant le modèle.

Dans un rabat du grand carton, dessine et découpe la langue.

Dans deux rabats identiques, dessine et découpe les oreilles.

Dans deux autres rabats, dessine et découpe les oreilles.

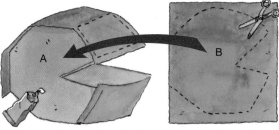

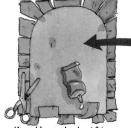

Recouvre la gueule du dragon de papier crépon vert foncé en le fixant avec de la colle. Pour les côtés A et B, découpe la forme exacte dans le papier et colle-la.

Pour l'arrière de la tête, colle un rectangle de papier crépon vert foncé, plus grand d'environ 2 cm que la forme. Rabats le surplus derrière. Découpe une autre forme de papier et fixe-la derrière pour éviter que l'on voie le carton.

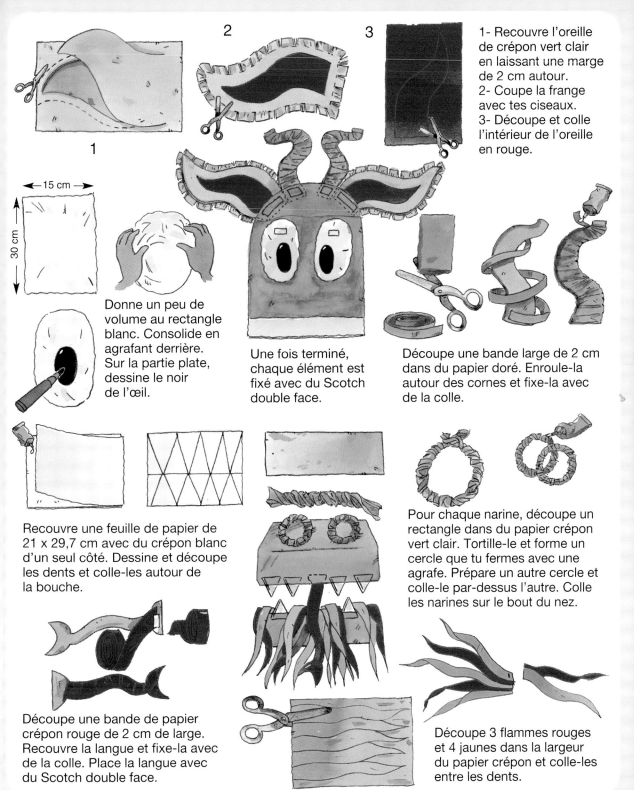

1- Recouvre l'oreille de crépon vert clair en laissant une marge de 2 cm autour.
2- Coupe la frange avec tes ciseaux.
3- Découpe et colle l'intérieur de l'oreille en rouge.

Donne un peu de volume au rectangle blanc. Consolide en agrafant derrière. Sur la partie plate, dessine le noir de l'œil.

Une fois terminé, chaque élément est fixé avec du Scotch double face.

Découpe une bande large de 2 cm dans du papier doré. Enroule-la autour des cornes et fixe-la avec de la colle.

Recouvre une feuille de papier de 21 x 29,7 cm avec du crépon blanc d'un seul côté. Dessine et découpe les dents et colle-les autour de la bouche.

Pour chaque narine, découpe un rectangle dans du papier crépon vert clair. Tortille-le et forme un cercle que tu fermes avec une agrafe. Prépare un autre cercle et colle-le par-dessus l'autre. Colle les narines sur le bout du nez.

Découpe une bande de papier crépon rouge de 2 cm de large. Recouvre la langue et fixe-la avec de la colle. Place la langue avec du Scotch double face.

Découpe 3 flammes rouges et 4 jaunes dans la largeur du papier crépon et colle-les entre les dents.

123

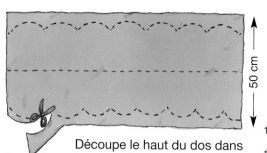

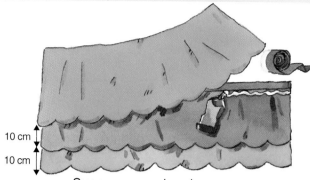

Découpe le haut du dos dans du papier crépon vert foncé en suivant le format indiqué et découpe de chaque côté des demi-cercles pour faire les écailles. Fais la même chose avec les papiers vert clair et doré. Mais ensuite coupe-les au milieu. Tu obtiens ainsi deux bandes dorées et vertes.

Superpose ces bandes comme sur le schéma en les collant puis en les renforçant avec du papier adhésif large à l'intérieur.

Assemble l'arrière de la tête avec la bouche à l'aide de papier adhésif double face.

Pour fixer le dos à la tête, découpe comme indiqué sur le schéma en prenant soin que la partie A soit exactement de la largeur du bas de l'arrière de la tête.

Agrafe le bout de la queue sur 10 cm. Le dragon est terminé. Passe ta tête dans celle du dragon et fais passer un ami derrière, sous le corps. Vous êtes prêts à faire peur !

TABLE DES MATIÈRES

ISBN : 978-2-215-06278-3
© Groupe FLEURUS, 1999
Dépôt légal à la date de parution.
Conforme à la loi n° 49-956 du 16 juillet 1949
sur les publications destinées à la jeunesse.
Imprimé en France par Jean-Lamour - Groupe Qualibris (04-10)

le monde des imageries

Dès 1 an

Des livres qui grand

Découvre tes proc

LES ANIMAUX

LA MER

L'ESPACE

PRÉHISTOIRE

LE CORPS

LA NATURE

SCIENCES

La collection Pourquoi – Comment ? répond aux q

DAUPHINS

LA SAVANE

LES FAUVES

LES TRAINS

CAMIONS

LES LOUPS

AUTOMOBI

la collection des grandes imageries : animaux – tra

PEINTURE

CINÉMA

PHOTOGRAPHIE

LA DANSE

L'ÉGYPTE

GAULOIS

ROM

32 pages + des images à découper.